Remerciements à L'actriste! du Bonjobobouio

ISBN 978-2-211-21515-2

© 2013, l'école des loisirs, Paris, pour la présente édition
dans la collection « Animax »
© 2012, l'école des loisirs, Paris
Loi numéro 49 956 du 16 juillet 1949 sur les publications
destinées à la jeunesse : novembre 2012
Dépôt légal : novembre 2013
Imprimé en France par Clerc à Saint-Amand-Montrond

Claude Ponti

LA VENTURE D'ISÉE

l'école des loisirs
11, rue de Sèvres, Paris 6e

Le soir d'un jour plein de soleil et de livres lus à l'ombre des Foliettes Vergées, Isée réfléchit et dit à ses parents :

«Dans le tome 1 de ma vie, il m'est arrivé des choses extraordinaires pendant que vous mettiez plus de temps que moi à redescendre du ciel après notre accident de voiture. Mais justement, c'était un accident.

Et moi, je voudrais décider moi-même, à mon avis, des choses extraordinaires qui m'arrivent. »

« Je vois, ce que tu veux, c'est l'aventure ! » lui dit sa maman. « Oui, je veux vivre une venture, et une vraie belle », répond Isée.

Le lendemain matin, Isée fait ses bagages
et Tadoramour aussi.

C'est maintenant le pile juste bon moment pour s'en aller à la venture.
Isée et Tadoramour partent illicossitôt.

Isée suit le chemin qu'elle choisit,
traverse des jours tranquilles,

des nuits éclairées au croissant de lune,

des petits matins rose et bleu au bord de la mer,

et des après-midi longs et lents
où l'herbe se prairsie
et les arbres se feuillisent.

Alors qu'Isée pense
à ce qui pourrait arriver,

un Céparlaéparlaéparlaéparlaéparla
lui montre où elle doit aller.

Mais non, Isée va où elle veut,
comme elle veut.

Elle prend un chemin qui traverse
des saisons mélangées

et aboutit à un escalier de pierre
qui monte sous la pluie…

… et redescend et remonte et tourne et redescend. Sans s'occuper des Fléchozooïdes Békénés qui ne sont là que pour faciliter la lecture, Isée arrive dans une dormerie de Pattomobiles.

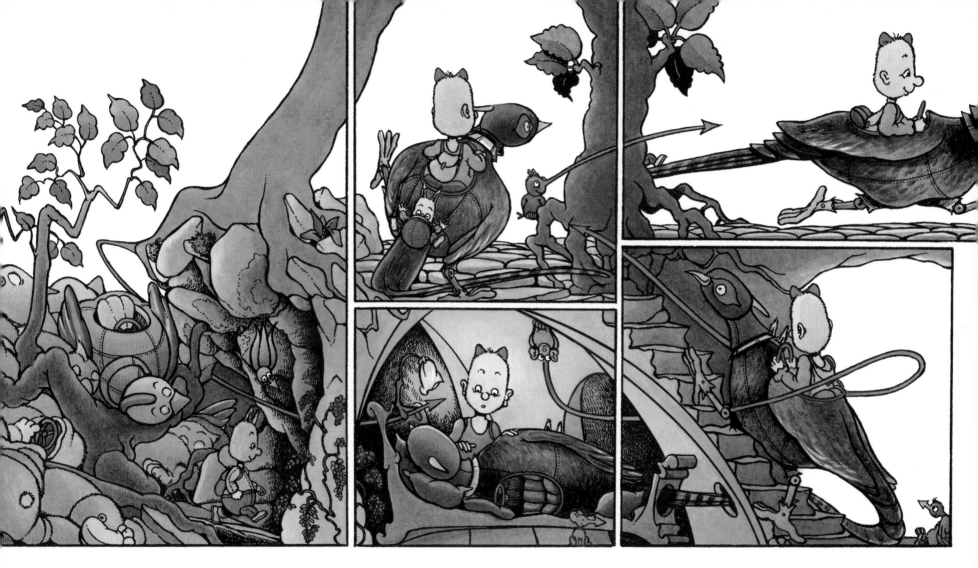

Elle décide d'essayer une super Pattomobile-Faisan de course qui dort toute seule,
sur son lit de course, dans une chambre de course. Elle la réveille et s'installe au volant.

Autre part plus loin, Isée entre dans le paysage des croisements et des carrefours. Chaque chemin est la route d'une venture possible. Chemin faisant, chemin réfléchissant, Isée se dit que la meilleure intéressante…

… route est celle où elle peut faire de la vitesse sifoldingoketikrouapa, pour voir. Tadoramour adore ça. Même si parfois, il s'emboulivole…

… un peu. C'est une tellement course vite qu'Isée ne voit rien entre la page 17 et la page 18 où elle découvre…

… un Frédilémon prisonnier. Il est entré
dans un pièjjaffrreu pour prendre une banane,
son fruit préféré.

Il ne peut pas en sortir. Sauf s'il lâche la banane.
Mais il ne veut pas. Il aime trop les bananes.
« Ouvre les doigts », lui conseille Isée.

Le Frédilémon ouvre les doigts,
et pose la banane dans un coin. Avec regret.

« Bravo ! » s'écrie Isée. « Tu as réussi !
Tu vois, c'est facile si on lâche la banane. »

« Voilà, tu es libre, viens, je vais t'apprendre plein de trucs…

… rigolos », dit Isée. « Bonjour, donne le doigt… Oui ! Bien !

Saute ! Tout là-haut, saute !

Saute ! Couché ! Saute ! Couché !

Saute ! Attak !

Fais le beau ! »

Isée est repartie, sur un nouveau chemin, chevauchant le Frédilémon. Soudain…

… un chevaliotte armuré l'arrête. « On ne passe pas. Interdit. C'est un chemin privé de route pour les autres, sauf pour moi », dit le chevaliotte.

« Saute, attak ! » répond Isée. Et le Frédilémon…

… attak, mattatrak, surmatrak, ékrazattak et aplatatrak.

Isée se rigolmarre en dedans d'elle.
« Tu es forte », lui dit le chevaliotte.
« Épouse-moi ! »

« Non », répond Isée,
« je suis venue pour faire
une vraie belle venture…

… pas
une épouse !

Et puis, tiens, va voir là-bas
si j'y suis ta fiancée ! »

Tadoramour se rigolmarre aussi en dedans de lui, car Isée est championne…

… de choutoloin. Elle a très bien appris dans le tome 1 de sa vie.

«Tiens, il y a des Gueurnouillons jaune et noir ici», remarque Isée qui a un bon sens de l'observation.

« C'est parce qu'il pleut », dit Tadoramour en essayant de marcher comme le Frédilémon.
« Il ne pleut pas, il pleure », lui répond le Frédilémon.

En effet, c'est le cuisinier du château rouayal qui n'en peut plus.

« Si je leur pose une question, le Roua répond toujours avant et la Rouenne toujours après.

Quand je n'ai encore rien demandé, je ne sais pas de quoi le Roua parle, et quand la Rouenne répond, j'ai oublié ma question !

Comment leur faire la cuisine alors ? »

Vers à côté, sur le Hotrônne, la Rouenne et le Roua sont là. Le Roua a déjà dit bonjour à Isée et ses amis, la Rouenne le dira plus tard. La cloche attend pour sonner l'heure du déjeuner rouayalle.

« Comment savoir si on est invités ? C'est impossible », dit Isée. « En plus, il n'y aura rien à manger puisque le cuisinier ne sait pas quoi faire… »

« On s'en moque, on n'a pas faim », dit le Frédilémon. « Moi non plus », dit Tadoramour.

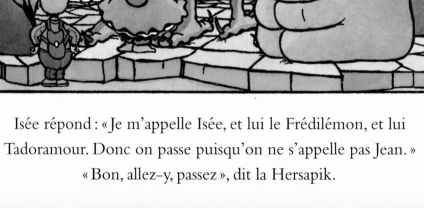

Dans un autre coin du chemin, plus loin,
une Hersapik arrête encore Isée. « Stop !
Les gens ne passent pas. Halte. Fermé. Sans issue. »

Isée répond : « Je m'appelle Isée, et lui le Frédilémon, et lui
Tadoramour. Donc on passe puisqu'on ne s'appelle pas Jean. »
« Bon, allez-y, passez », dit la Hersapik.

Après quoi, la Hersapik se dit qu'il lui faut apprendre les prénoms
de tout le monde si elle veut empêcher tout le monde de passer.

Plus loin, encore plus par là, Lallamochapô arrête aussi Isée :
« Halte, retournez d'où vous venez. C'est bouclé. »
« Qu'ont-ils tous à m'emberkikiner ma venture ? » pense Isée, puis…

… elle crie : « Le Frédilémon, choutoloin ! Aplakatakébrechouille ce moche Lallamochapô !
Éklatavibrouille ce coupe-chemin ! »

Tzinguiblingblingtzig
Tzinguiblingblingtzig
Tzinguiblingblingtzig

« Comme tu es fort
Épouse-moi ! »
dit Lallamochapô.

« Non mais ça suffit les épouzeurs zinzins ! Je ne veux pas me marier !
Je suis une personne qui veut vivre une vraie belle venture
et rien d'autre ! » crie Isée un peu fort fâchée.

Plus loin, encore bien plus loin que loin,
Isée rencontre un Tipouinze.
Il saigne, blessé par la rose d'amour qui pique.

Isée, qui est gentille, soigne le Tipouinze.
Il aime bien la rose, mais elle pique trop fort.

«Débarrasse-toi de la rose, comme ça»,
lui dit Isée. «Et amourise-toi
plutôt d'une…

… pivoine, elle ne pique pas.»
«Épouse-moi!»
murmure le Tipouinze.

« Cœur d'artichaut ! Tu changes d'amour
comme de fleur et de fleur comme de chemise.
Tu ne sais pas ce que tu veux !

Tu fais ce qu'on te dit ! N'importe quoi !
Et tu voudrais que je t'épouse ?
Tiens, prends ça et va voir là-bas si je suis fleuriste ! »

Isée se rerigolmarre : « Il est encore plus zinzin que les autres, celui-là ! »

Ensuite, Isée et ses amis poursuivent leur chemin qui poursuit sa route entre la Pouare et le Froumage et pénètrent…

… chez Plantosolagôche et Plantosoladrouatte, les pieds sur terre. Deux mages qui connaissent les secrets des cœurs et voient l'A venir dans tous les alphabets de la vie. Ils disent à Isée :

« Tu as traversé avec succès les épreuves du tome 2 de ta vie. Tu as montré que tu étais maligne, futée, intelligente, courageuse et forte. Choisis une baguette sur l'arbre à baguettes. Choisis bien, car une seule est magique. » Isée réfléchit et choisit une baguette de pain.

« En rentrant, on passe chez la Rouenne et le Roua.
S'ils ont trop faim, on leur donnera du pain », dit Isée.

« Oui, ils ont faim », dit Tadoramour. « Regarde,
leurs sèptrachourfettes ont la tremblote d'affamés. »

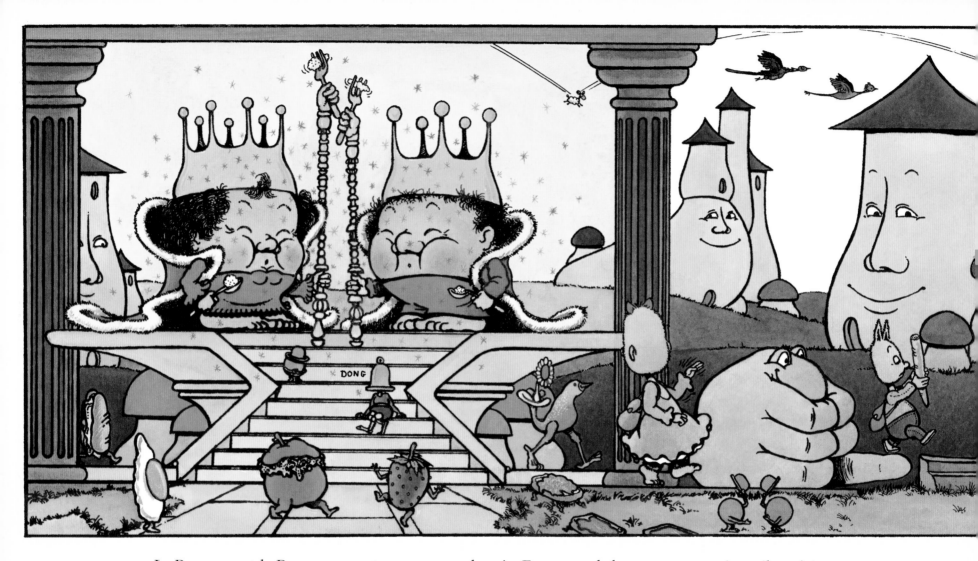

La Rouenne et le Roua mangent un morceau de pain. Et comme la baguette est magique, ils guérissent.
Ils peuvent parler en même temps, l'un après l'autre, chacun leur tour. Le Roua et la Rouenne sont heureuses.
En repartant, Tadoramour n'oublie pas le reste de la baguette magique.

La Rouenne et le Roua s'envolent dans le ciel
où il y a déjà beaucoup de monde.

Et pendant qu'Isée et ses amis s'en retournent,
ils s'éclatent de bonheur.

Isée, Tadoramour et le Frédilémon cheminent le long de saisons mélangées, croisent des animaux mèreveilleux et des animaux pèreveilleux qui s'éveillent ou s'endorment suivant le sens du vent, et Paul Hairabalais, un bonhomme un peu froid.

Isée suit son chemin de retour.   Celui qu'elle avait choisi à l'aller,   mais dans l'autre sens, et un peu changé.

« Et voilà », se dit Isée, « j'ai vécu une vraie belle venture. Je reviens à la maison avec un nouvel ami précieux en plus.
Et j'ai une fantabuleuse baguette magique bien cuite. »

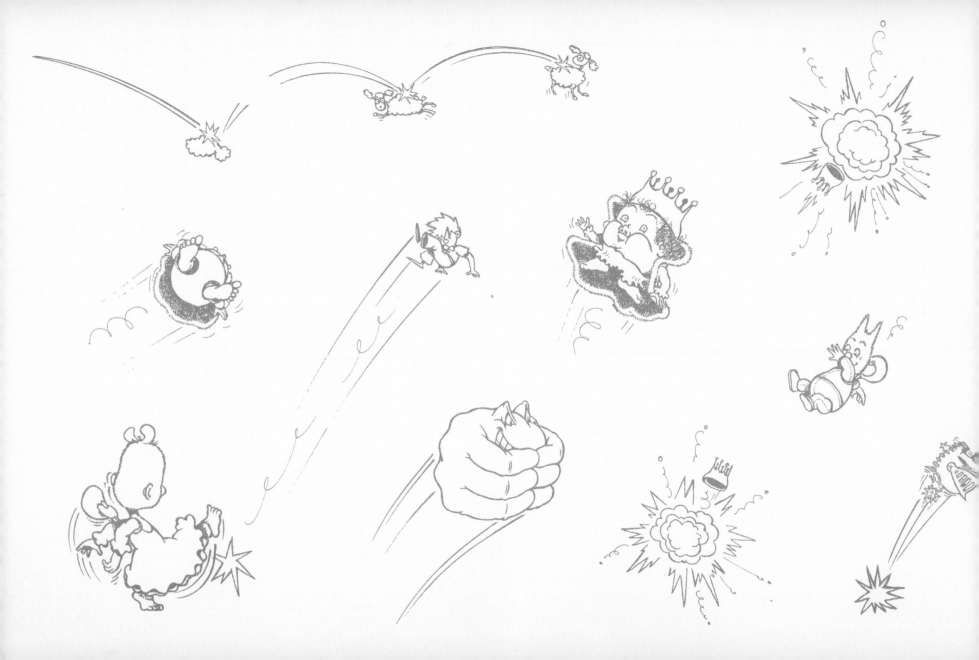